저자 송민영

고향인 청주를 떠나 대학 신입 시절부터 제주에 터를 잡았다. 대학을 졸업하면 고향으로 돌아가겠지 했건만, 세상사 알 수 없음을 제주도민이 되고 나서야 깨달았다. 연결고리라고는 대학 동기뿐이었던 제주 토박이 신랑을 사회 초년생에 만나 결혼에 골인하여 제2의 인생이 시작되었고 첫째 봄이, 4살 터울 동생 둘째 여름이를 만나 제3의 인생이 시작되었다. 그 무엇에도 흔들리지 않고 아이를 키워내겠다고 다짐하였건만, 매 순간 흔들림을 다잡으며 제3의 인생을 살아가고 있는 봄여름 엄마의 이야기를 담아내려 하였다. 완벽하게 해내고 싶지만, 이론과는 다른 육아에 좌절하기도 하고 행복해하기도 하며 '흔들리지 않고 자란 나무는 없다'라는 문장을 오늘도 가슴에 새기곤 한다. 아이는 절대 엄마의 생각대로 흘러가지 않는다. 하지만 세포에서부터 함께한 아이라서 그런지 엄마는 아이가 본인과 같겠지 혹은 본인의 소유물 아닌 소유물로 바라보는 잘못을 저지르곤 한다. 아이와 함께함에 있어 완벽함은 없다. 무엇을 하든 아이가 행복하면 그만이다. 계획대로 되지 않으면 어떠랴, 당신의 아이가 한껏 웃고 있으면 그 계획은 성공이다. 다 알고 있지만, 달이 깨어날 시간이 되면 언제나 지난 하루를 반성하고 있는 나를 발견하곤 한다. 뫼비우스의 띠처럼 하루하루 흘러가는 쳇바퀴 같은 시간 속에서 벗어나지 못하지만 그러면서 성장해 가는 나는 지금 봄여름 엄마다.

우리가 상상하는 제주의 바다는 잔잔한 파도와 햇살 좋은 맑은 하늘이지만, 실상은 태풍 같은 살벌한 바람과 고래만 한 파도가 치는 날이 더 많은 제주 바다와도 같은 날 것, 그대로의 들쑥날쑥한 감정변화로 아이를 양육하며 성장해 가는 작가의 이야기이다.

언제나 잔잔한 바다 같은 마음으로 너그럽게 아이를 바라보자고 다짐하지만, 오늘도 돌풍 같은 잔소리로 후회하고 또 후회하며 자책도 하고 울기도 하고 인정도 하며 아이를 낳았을 때는 '흔들리지 않고 자라는 나무는 없다.'라는 문구를 내 아이들이 자라며 실수해도 괜찮아. 틀려도 괜찮아. 넘어져도 괜찮아. 하며 아이를 나무로 바라보았지만, 육아 에세이를 작성하며 바람에 세차게 흔들리면서 더욱 깊게 뿌리를 내리는 나무는 양육자인 나라는 것을 깨닫고 연고지 없는 제주에 시집와서 제주 아이들을 키우며 부모로서 곧게 자라나고자 성장하는 작가의 이야기다.

고행성사라 부르고 자아성찰이라 읽는다.

내가 책을 쓰는 이유는 고해성사 혹은 자아 성찰이랄까.

요즘 무얼 해도 집중이 잘되지 않고 감정도 요동치다 보니 가족 간에 대화도 불안정하게 되고 정돈이 필요하다 싶어 다시 글쓰기에 도전하였다.

근데 막상 글쓰기를 시작하니 좋으면서도 또 일을 벌인 것 같아 신경

쓰이면서도 시작이 어렵지, 글을 쓰고 있노라면 마음이 평온해짐을 느낀다.

나는 집에서 육아할 때 감정을 조절하기 위해 '나는 금쪽이를 촬영 중이다.', '나는 슈퍼맨이 돌아왔다를 촬영 중이다.' 하며 자기최면을 걸어서 최대한 화를 안 내려 노력하는 데 제법 효과가 있듯이, 글쓰기를 하면 어느 정도 감정 조절 능력이 더 향상되고(맨날 화냈다 미안했다고만 쓸 수 없으니) 주저리주저리 적고 있다 보면 내가 오늘 무엇 때문에 분노하였는지 적절한 분노였는지 오늘 하루에 나는 어떠하였는지 곱씹어 보게 되는 것이 뜻깊은 시간인 듯하다.

고해성사 같은 육아 에세이지만 육아 에세이 덕에 고해성사도 할 수 있는 거지 뭐…. 에잇.

그러고는 말한다.
"민영아, 오늘 너 연기 잘하더라. 애들이 깜빡 속았어! 아무도 너 화난 거 몰랐을 거야. 내일도 파이팅!"

봄이의 입학

봄이가 입학을 하였다.

어쩌다 보니 학부모가 되어있었다.

입학식만 생각하면 어느 사이에 이렇게 자라서 입학할까? 기특한 마음과 그동안에 시간이 주마등처럼 스쳐 지나가서 눈물이 고였다.

입학식 날 대견한 우리 아이 많이 안아주자고 다짐하였다.

다짐은 다짐일 뿐 아침 기상과 동시에

"지금 당장 일어나서 준비하지 않으면 입학식 날 지각하는 1학년이 되는 거야" 하며 아이를 다그쳤다. 다그치곤 이내 또 자책한다. 기다려 줄 걸, 입학식쯤 늦으면 뭐 어떻다고…. 에잇.

그러고는 말해준다.

"우리 봄이 입학을 너무나도 축하해. 앞으로 너에게 펼쳐질 빛나는 미래를 응원할게. 잘 커 줘서 고마워."라고.

초등학생 봄이의 첫 소풍

봄이가 초등학교에 입학하여 첫 소풍을 가는 날이었다. 특별하게 싸주어야지 하고 곱씹어 생각해 놓곤 막상 날짜가 다가오니 만사가 귀찮아져서 무심하게 봄이에게 말했다.

"이번 소풍에는 유부초밥 콜? 과일은 어떤 거 싸줄까?"

봄이가 답했다.

"응 유부초밥 좋아. 대신 눈 코 입은 꼭 붙여줘"

아침에 일찍 일어나서 유부초밥을 싸고 봄이가 원하는 망고, 딸기 과일을 챙겨놓고 김을 잘라 똥손이지만 최선을 다했다.

일어난 봄이에게 유부초밥 맛을 봐보라고 권하니 맛없는 걸 먹인다는 표정을 짓길래 순간 욱해서 또 한마디 해버렸다.

"그 표정은 뭐야? 맛이 있건 없건 엄마가 새벽부터 일어나서 만든 건데 일단 먹어보고 판단해야지! 먹어보기도 전에 그런 표정 짓는 건 엄마의 노력에 대한 존중이 전혀 없잖아. 도시락 싸주는 엄마가 존재한다는 게 얼마나 감사한 일인데! 앞으로 소풍 때 그냥 김밥 사서 보낼까!?"

애가 그냥 한 표정에 무슨 스토리텔링을 이렇게나 자극적으로 하는지…. 에잇.

그러고는 말해준다.

"봄아, 오늘 초등학생 되고 처음 가는 소풍이라 들떠서 다칠지도 몰라 그러니 조심해서 친구들과 즐겁게 보내고 이따 만나 혹시 도시락 맛없으면 남겨도 돼"라고.

어엿한 1학년 봄

아침에 기상하면 갈아입을 옷을 주곤 여름이 등원 준비를 시키는데 아이들 다 챙겨놓고 나도 준비한다. 준비하는 사이 밖에서 사부작사부작 옥신각신 소리가 난다. 과일이 있으면 봄이가 유아용 칼로 과일을 썰어서 여름이와 나눠 먹고 있거나 컵에 밥을 담아 물을 부어 먹고 있다. 배고파서라기보단 간식 개념으로 먹는데 아직 아이인 봄이가 엄마

없는 사이 동생이 이렇게 알뜰살뜰 챙길 때 보면 짠하기도 하면서 너무 기특하다.

그렇지만 기특함도 잠시,

"옷 갈아입었으니까 옷에 묻히지 말고 먹어야 해. 흘리고 먹을 수 있는 음식은 엄마 없을 때 안 먹었으면 좋겠어"라고 말해버린다.

그리고 이내 자책한다. 고작 8살인 아이가 차린 다과상인데 칭찬만 해줘도 모자랄 판에 꼭 아니꼬운 말을 얹어야겠니? 옷에 좀 흘리면 뭐 어때! 에잇.

그러고는 말해준다.

"엄마 없는 사이에 동생도 챙겨주고 정말 너무 고마워."라고.

워킹맘으로 산다는 것

　일하는 것은 나를 숨 쉬게 하지만 출근할 때 싫다. 그냥 마냥 늘어지게 누워있고 싶다. 나 한 몸 챙기기도 바쁜 아침에 아이들을 서둘러 준비시키고 아침도 간단히 챙겨 먹인다. 일찍 가는 아이들이 점심 전에 '배고플까?' 하는 걱정이 되기 때문…. 우리 엄마는 아침에 늘 자고 있었는데 우리 엄마는 '내가 배고플까'하는 걱정이 안 되었던 걸까 잠시 생각하다 이내 접고 다시 출근 준비를 시작한다. 아이들 준비가 끝나면 서둘러 나도 머리를 다시 다듬고 초췌해 보이지 않으려 선크림이라도 찍어 바르곤 "자 이제 신발 신어야 해 서둘러."를 외치지만 수상한 표정을 지으며 여름이가 말한다.

"엄마 나 똥 쌀래."

꼭 신발만 신으면 되는 타이밍에 울리는 모닝 똥 알람.

똥구멍을 막을 수는 없으니 초조함에 식은땀 나는 나의 인중 땀구멍을 막는 수밖에….

아침마다 "빨리빨리"를 백만 번을 외치지만 준비를 다 해놓고 자도 한 시간 넘게 준비하는 건 무엇 때문인지 싶다.

그렇게 바쁘게 준비하여 홀가분하게 보내곤 일터로 가서 생각한다.

'아, 집 가고 싶다.'라고.

집 가고 싶을 때 집에 갈 수 있으면 '정말 좋겠네에~ 정말 좋겠네.'

퇴근이 늦은 날에는 서둘러 귀가하여 남이 해준 밥을 감사하게 사 먹는다. 그나마 남아있는 에너지를 밥하는 데까지 쓰지 않고 나는 너희들을 사랑한다고 표현하는데 싶어서다. 라고 말하지만 밥하기 싫은 것도 맞음. 뜨끔…. 그래도 "이거 정말 맛있잖아."라고 엄지 '척'해 주는 아이들을 보면 누가 밥을 해주든 너희만 맛있으면 되지 뭐 에잇.

일가서는 집 가고 싶고 집에 와서는 밥도 사 먹이고 어찌 보면 망나니 엄마 같기도 한 나의 워킹맘 일상. 그럼에도 불구하고 나의 워킹맘 일상은 더없이 소중하고 나에게 활력소가 되어준다.

우직하게 생활하기도 하고 가끔은 잔꾀도 부려야 하지 않은가? 에헴.

그러고는 말해준다.

"이렇든 저렇든 오늘 고생 많았어! 우리 모두! 허니 사랑해 잘 자. 봄 여름이 덕분에 오늘도 행복했어"라고.

돈 번다고 유세 떠냐?

웬만한 일로는 큰 소리 내며 싸울 일이 없는 우리 부부가 몇 년 만에

큰소리를 내며 싸웠다. 내가 다시 일을 시작하고 나의 출근 시간에 맞춰서 아이들은 아침 7시 30분 어린이집이 문 열림과 동시에 등원하였다. 그리곤 나보다 일찍 퇴근하는 신랑이 둘째를 하원 시켜서 씻겨놓으면 첫째가 합기도 차를 타고 집에 와서 씻고 놀고 있으면 내가 퇴근한다. 나는 집에 오자마자 외투도 벗지 못한 채로 아이들이 거실에 잔뜩 꺼내놓은 장난감들을 장난감 방에 밀어 넣고 아이들이 벗어놓은 옷가지들을 정리하고 서둘러 저녁을 준비했는데 (나는 일을 할 때 점심은 웬만해서 먹지 않는다. 점심 이후 학생들은 가르칠 때 격한 운동을 수업마다 하게 되니 내가 배가 불러 버거워하면 그만큼 오후에 내 수업을 받는 아이들에게 온전한 에너지를 전해 주지 못한다고 느껴져서 퇴근할 때까지 견과류 몇 알로 버티는데 퇴근할 때 운전대를 잡으면 기력이 딸려 손이 떨리는 게 느껴지지만, 밥은 포기가 되어도 수업의 질이 떨어지는 건 포기가 안 된다) 그 일상들이 반복되니 신랑에게 불만이 생겨났다. 퇴근해서 반겨주는 신랑을 향해

"장난감들 좀 방에 넣어놓지. 점심 먹은 것 설거지 좀 해놓지. 애들이 옷을 벗었으면 세탁 통에 넣으면 되잖아"라는 볼멘소리가 나왔는데 그걸 들은 신랑이 내게 한 말이

"지금 돈 번다고 유세 떠냐? 나도 이제 너 퇴근까지 일하당 오크라,

너 알앙 애들 하원 시키든가 허라"였다.

그 말을 들은 나는 순간 내가 사람을 잘못 본 건가? 이 사람은 나의 사회생활이 얼마나 우스워 보이면 이딴 소리를 나에게 해대는 거지? 라는 생각에 오래간만에 극대노하였다.

빠르게 돌아간 나의 머리가 빠르게 대꾸하라고 요동쳤다.

"내가 지금 일한 지가 얼마나 되었는데 한 달이 넘도록 애들 새벽부터 등원 준비도 혼자 시키고 애들 하원 시켜주는 게 고마워서 주말마다 애들 데리고 나가서 당신 쉴 시간 주고 퇴근하고 오면 옷도 못 갈아입고 애들 어지른 거 치우고 빨래하고 밥하고 밥 먹이고 나서야 그제야 씻는 나를 그간 봐놓고 장난감 방을 치우라 한 것도 아니고 장난감 좀 방에 그냥 넣어놓고 애들 옷 벗기면 바로 세탁 통에 넣고 스스로 먹은 설거지는 좀 해놓아 주었으면 한다고 말하는 게 돈 번다고 유세 떠는 거면 도대체 나보고 어떻게 일하라는 거니? 내가 일하는 게 얼마나 소꿉장난처럼 우스워 보이면 돈 번다고 유세 떤다는 말이 나오는 거니? 같이 좀 하잔 말도 못 할 사이면 우리가 지금 이런 대화를 하는 게 맞는다고 생각하니?"라고 악에 받쳐 얘기하곤 뒤도 안 돌아보고 씻으러 들어와서 물을 틀어놓고 울어버렸다.

우는 모습을 보이는 것조차 자존심이 상하고 이미 나의 큰소리에 눈

치를 보고 있는 여름이에게 우는 모습까지 보이면 안 될 것 같았다.

감정을 혼자 추스르고 나가니 여전히 눈치 보고 있는 여름이에게

"큰 소리 내서 미안해. 엄마 아빠가 잠깐 싸웠는데 놀랐지? 미안해." 말하니 여름이가 대뜸 아빠에게 뛰어가더니 아빠를 때리면서

"쓰읍! 아빠 혼나볼래! 왜! 엄마한테 화내! 미안하다고 해!"

진지한 표정으로 아빠를 혼내주는 모습에 또 왈칵 눈물이 쏟아져서 얼른 저녁을 준비하고 있으니, 바닥에 널브러져 있던 빨랫감들을 세탁통에 넣곤 슬쩍 옆에 와서는

"아까 돈 번다고 유세 떠냐고 한 말은 진심이 아니고 말이 헛나온 거야. 미안해. 여보가 집에 와서 좋았는데 오자마자 이것저것 안 해놓았다고 하는 말에 내가 너무 집에서 할 일 없는 사람처럼 있는다는 듯이 말하는 것처럼 느껴져서 순간 기분이 상했어. 미안해."

먼저 사과를 해주는 신랑에게

"나도 집에 오자마자 부정적인 감정만 쏟아내서 미안해"

사과하며 전쟁이 1시간을 채우지 못하고 종결되었다.

출근하기 전에 깔끔하게 치워놓는 이유는 다시 집에 들어올 때 이미 에너지가 고갈되어 들어올 걸 알기에 늘 치워놓고 나가지만 나보다 먼저 아이들이 귀가하므로 나갔던 상태와 같을 순 없는 걸 알지만, 부랴

부랴 퇴근하고 집에 오자마자 뒷정리를 하고 종일 굶은 나는 배고파서 예민해질 수밖에…. 기분 나빠도 애교스럽게 얘기하면 들어줄 사람인데 왜 불만스럽게 얘기해서 싸움을 만들고 애 앞에서 큰소리를 내었는가? 에잇.

그러고는 말해준다.

"여름아, 이것 봐봐 엄마 아빠 꼬옥 끌어안고 있지? 우리 서로 미안해 내가 잘못했어! 하고 화해했어. 여름이 앞에서 싸워서 미안해. 엄마 아빠 이제 사이좋게 지낼게"라고.

아무것도 안 하고 싶은 날 아무것도 안 하고 싶다.

아무것도 하기 싫다. 라고 생각하지만, 집이라도 청소하는 건 아무것도 안 하기엔 벌려놓은 일들이 너무 많고 책임져야 할 아이들이 있다. 입으로는 아무것도 안 하고 싶다. 머리로는 그래서는 안 되겠지. 마음속으로는 그래도 쉬고 싶다. 하지만 아무것도 안 하기엔 무언가 모를 죄책감이 든다. 갑작스럽게 이사를 준비하며 온 집안을 치우면서 그래도 나름 최소한의 물건만 두고 지낸다고 생각했는데 치우고 보니 진즉 이렇게 살 걸 싶게 집이 더 미니멀 해졌다.

어릴 적 살던 집은 늘 바퀴벌레가 돌아다니고 서랍을 열면 재빠르게 도망가는 새끼 바퀴벌레들을 보았다. 그런데도 치우지 않는 부모님을 보며 자란 탓인지 집이 휑하다 느낄 만큼 목소리가 울릴 만큼 여백이 있다는 게 마음의 안정을 찾아준다. 그래서 집이 조금이라도 지저분해 지면 신경이 곤두선다. 안정을 되찾기 위해서는 내가 다시 치워야 하기 때문….

치우는 게 스트레스지만 지저분해진 집안을 보는 게 더 스트레스라 오늘도 싫어도 집을 정리한다. 다 치우고 휑한 집안을 둘러보며 '치우 길 잘했네' 하며 또 위안 삼는다.

엄마도 가끔은 하루쯤은 정말 아무것도 안 하고 싶은 날이 있다.

봄여름이 너희도 그렇겠지만, 그런데도 어린이집에 가고 학교에 가 겠지.

우리 모두 아무것도 안 하고 싶지만 그럴 수 없으니 파이팅하는 수 밖에.

퇴근만 하면 뿔난 황소가 되어버리는 나

일하고 있을 때는 얼른 퇴근해서 안아주고 싶다. 보고 싶다. 오늘

저녁은 무얼 해줄까? 아이들 생각만 해놓고선 집에 들어서자 난장판이 되어있는 거실을 보곤 속사포 같은 랩을 쏟아낸다.

"봄아, 합기도 다녀오면 바로 도복 정리해 놓으라고 했지? 여름아, 장난감들 가지고 나왔으면 갖다 놓고 다른 장난감을 가져오라고 했지? 벗어놓은 옷가지들 빨래통에 넣어두래도? 봄아, 학교 갔다 오면 가방에서 물통 꺼내서 설거지통에 넣어두라고 했잖아"

분명 마음은 보고 싶었다며 오늘 하루 어땠는지 물어보고 안아주고 싶은데 이미 에너지가 고갈 되어버린 나는 눈앞에 지저분한 광경들을 치워버리고 여백의 미에서 아이들과 편하게 앉아있는 내 모습을 상상하며 씩씩거리는 황소처럼 집안을 돌아다닌다.

애 키우는 집이 좀 지저분해지면 어때! 그냥 눈 딱 감고 안 본 척 애들이나 안아주지 뭔 말이 그렇게 많은 거야…. 에잇.

그러고는 말해준다.

"오늘 엄마가 일하는데 봄이랑 여름이가 너무 보고 싶은 거야. 근데 그래 놓고 집에 오자마자 안아주지도 않고 이거 해라, 저거 해라 시키기만 해서 미안해."라고.

송민영

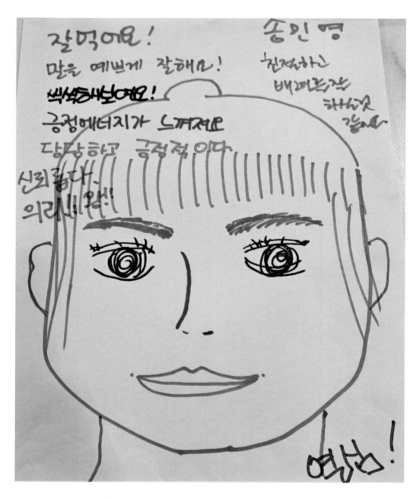

다른 사람들이 바라보는 나에 대해 알아보는 시간을 가졌다. 가면

을 쓴 나의 모습도 보이고 본연에 나의 모습도 보인다. 예전에는 가면을 쓰고 있다고 생각하면 가식적으로 느껴지고 진실하지 못하다고 느꼈는데 생각을 조금 바꿔보니 가면을 쓰고 있는 것도 나 자신이고 감추는 것 없이 드러나는 본연의 모습 둘 다 나이지 싶다. 가면을 쓴다는 건 내가 만든 이미지이고 상대에 대한 배려이기도 하다. 모든 사람과 맞짱뜨고 살 수는 없으니까.

평범하게 유지되는 인간관계가 얼마나 어려운 것인지 여러 인연을 스친 제주살이 13년 차가 되니 깨닫게 되었다. 그리고 부모가 되어보니 적당히 아이에게 헌신하고 적당히 감정을 토해내는 것이 얼마만큼 어려운 것인지도 깨달았다. 그래서 아이 앞에서도 가면을 쓰고 나를 감추기도 한다. 나의 어린아이들이 부모에 성숙하지 못한 가시에 찔려 상처가 나질 않길 그 상처가 곪아 나와 같은 어른 아이가 되지 않도록 나는 오늘도 가면을 쓰고 육아를 한다.

고민의 답

오늘도 난 같은 주제로 끝없이 고민하였지만, 아직 답을 내리지 못

하였다.

아이를 훈육하다 보면 아이가 그 상황을 모면하려 안아달라 울고 불고 떼를 쓰는데 이 상황에서 안아주는 것이 맞는 건지 받아주지 않고 감정을 스스로 가라앉힐 때까지 기다려주어야 하는 건지에 대한 답을 아직 찾지 못하였다. 그 이유는 마음 같아서는 "그래" 하고 안아주고 싶지만, 그냥 안아줘 버리면 아이는 비슷한 상황이 생겼을 때 또 안아달라 할 테고 나아가 어른이 되었을 때 문제가 발생할 시 직면하지 않고 회피해 버리지 않을까 하는 걱정과 동시에 이 아이는 지금 어쩌면 자기의 행동으로 인하여 나에게 미움을 사지 않았을지, 자신에 대한 나의 애정도 테스트를 처절하게 하는 것은 아닌가 하는 생각에 무엇이 답일지 고민을 하지만 오늘도 답은 내리지 못하였다.

그냥 아무 고민 없이 안아달라 하고 안겨있고 싶을 때 이것저것 재지 않고 안아주면 안 되는 것일까? 자식을 귀한 손님처럼 대하라지만 어쩌겠소. 초대자는 예민 보스에 손님은 까칠 보스인 것을⋯. 에잇.

그러고는 말한다.

이 또한 지나가리라. 민영아, 시간이 좀 더 지나 좀 더 자란 네가 해결할 테니 너무 걱정하지 마.

오늘도 욱 욱 욱

주말을 맞아 집 좀 정돈하고 외출하고 싶어 각자 장소를 맡아 정리
하는데 여기저기 총괄을 맡아 정리하다 장난감 방을 보며 화내지 말아
야지 마음먹고 들어가서 같이 치워주다가 온갖 것들이 뒤섞여 있는 모
습에 화가 치밀어 올랐다. 그래도 꾹 참고 치워주고 있는데 나는 치우
고 방주인인 봄여름이는 놀고 있고, 그 모습에 참지 못하고 결국 터트

린 나.

"내가 여기 주인이야? 너희가 주인이고 내가 도와주는데 누군 치우고 누군 놀아? 여기 안에 있는 것 중 엄마한테는 소중한 장난감이 하나도 없는데 다 버려버릴까? 너희도 소중한 게 없으니 이렇게 제자리에 안 놓고 다 내팽개쳐서 있는 거지?" 하며 큰 봉지를 가져와 담기 시작했다. 진짜 버릴 작정이었다. (장난감 방이 싹 비워지도록 버린 전적이 있음) 과거에 버린다고 하고 진짜 버려졌던 기억이 떠올랐는지 봄여름이가 사색이 되어 "치울게요."를 반복해서 말하며 울며 애원한다. 그 모습에 더 화가 나는 건 내가 협박하기 전에 치우는 시늉이라도 했으면 좋겠다고 생각되어서다. 근데 또 애니까 애이기에 치우다 삼천포로 빠지고 또 치우겠지만 그걸 못 기다려 주는 나란 엄마.

솔직히 집도 장난감도 치우고 싶은 건 나인데 왜 또 잘 노는 아이들에게 강요한 것일까 그렇게 치우고 싶으면 시키지 말고 혼자 할 걸…. 에잇.

그러고는 말해준다.

"장난감 버리려고 했던 건 진짜였어. 근데 너희들이 소중하다고 생각하는 장난감을 안 치우면 없애버릴 거라며 말하면서 불편한 감정으로 정리하게 한 건 엄마가 어른답지 못했어. 엄마도 그런 말은 안 하려고 노력할게. 너희들도 엄마가 그런 말을 하기 전에 엄마의 얘기를 잘 들어주고 갖고 놀은 장난감은 그때그때 치우도록 노력해 줘"라고.

온탕과 냉탕사이

아이들과 이색적인 체험을 해보려 집을 나섰다.

배가 고프다는 신랑의 말에 집 근처 직접 말아서 김밥을 파는 편의점에 들러 먹으며 가자고 이야기하니 봄이가 자기는 삼각김밥이 먹고 싶다고 하여 있으면 사 오겠다 했지만, 김밥을 말아서 파는 곳이라 그런지 삼각김밥이 없었다. 잔뜩 입이 나온 봄이 집에 가는 길에 사주겠다고 해도 좀처럼 입이 들어가질 않고 사 온 김밥도 먹는 둥 마는 둥….

그때부터 봄이의 불평들이 시작되었다.

언제 도착해? 아직 멀었어? 왜 이렇게 먼 거야? 엄마 차는 왜 이렇게 느려? 왜 아직도 이만큼밖에 안 온 거야? 왜 이렇게 먼 곳을 가자고 한 거야? 슬슬 정수리가 뜨거워짐을 느꼈지만 애써 차분하게 답들을 해주었지만 5분에 한 번꼴로 언제 도착해? 라고 묻는 봄이에게 결국 여러 마디를 했다.

"앞에 가고 있는 다른 차들을 다 쳐버리며 속도 내서 갈 수는 없잖아? 언제나 가까운 곳만 다닐 거면 집에 있는 게 낫지 않을까? 갔던 곳 익숙한 곳만 가면 우물 안 개구리가 될 수밖에 없어. 엄마 아빠도 주말에는 집에서 아무것도 안 하고 쉬고 싶어. 근데도 이렇게 매번 나가는 건 너희들이 좋아하고 새로운 경험을 해 봤으면 해서야. 집에만 있으면 심심하다고 말하는 게 너희잖아. 근데 왜 애써 계획해서 나왔는데 네 맘대로 안 되니까 계속 불만만 얘기하고 있는 거야? 운전하고 있는데 뒤에서 계속해서 언제 도착해? 라고 물으면 너라면 기분 좋을 것 같아? 엄마가 네 장난감 방 치우고 있는데 계속 들락날락하면서 언제 치워? 왜 아직도 안 치웠어? 왜 이렇게 느리게 치우는 거야? 하며 계속해서 얘기하면 봄이 너는 기분이 좋을까? 네가 기분 나쁘다는 건 다른 사람도 똑같이 기분 나쁘다는 거야. 그게 엄마여도 예외는 없어. 그러니까 오래 걸려서 지루한 건 알겠는데 자꾸 재촉하지 말아줘. 기분 좋게 나왔는데 서로 기분이 나빠지고 있잖아."

긴 연설을 들은 봄이는 기분은 여전히 나쁘지만, 엄마 말에 반박할 말재간은 안되니 안 듣는 척 창밖을 바라본다.

온갖 불평은 다 해놓고 목적지에 도착하니 언제 그랬냐는 듯 제일 신나게 즐기는 봄.

봄이의 불만에 속으로 "다신 나오나 봐라" 혼잣말하였지만, 좋아하는 모습에 "나오길 잘했네" 하며 말 바꾸는 나.

나도 좀 유하게 아이의 불만을 받아들일 수 있으면 좋겠다. 봄이는 아기 때부터 그랬다. 차를 타고 이동하는 것을 좋아하지 않았다. 반면 여름이는 아기 때부터 차 타고 바깥 구경하는 것을 좋아하고 동화를 틀어주면 이야기를 들으며 창밖을 보며 집중하는 것이 느껴지고 말하지 않으면 아이가 차에 타 있다는 게 느껴지지 않을 정도로 조용하게 이동하는 아이이다.

같은 배에서 태어났지만 좀 더 예민한 기질의 봄, 예민하지만 누나기에 눌려 사회생활 하는 여름.

예민한 부모 밑에서 태어났는데 순할 수는 없지. 누굴 탓하랴 내 탓이지 뭐, 에잇.

나는 청각이 예민한 사람이란 걸 아이를 낳고 알았다. 여기저기서 섞여서 들려오는 정리되지 못한 소음이 싫어서 아이들이 집에 있을 땐 TV도 거의 꺼놓고 생활하다 보니 필요성을 못 느껴 TV를 집에서 없애버렸다. 아이들이 그냥 노는 건 괜찮은데 소리를 지르며 뛰어다니는 소리가 들리면 극도로 예민해지고 화가 난다. 근데 그게 애들이고 애 키우는 집 소리지 하며 참고 또 참으며 다른 집에 피해를 줄 데시벨이 아닐 때까지는 인내한다. 이 인내가 참 고되다.

안 그래도 그런 사람이 아이들을 태우고 운전하기에 바짝 긴장해서 예민해진 상태인데 뒤에서 계속 쫑알쫑알 좋은 말을 하는 것도 아니고 볼멘소리만 하니 유하게 풀어나갈 수가 없나 보다.

그러고는 말해준다.

"긴 시간 가만히 앉아있는 게 쉬운 일이 아닌데 안전벨트를 풀거나 자세를 흩트리지 않고 얌전히 있어 줘서 고마워. 덕분에 안전하게 운전해서 왔고 우리 재밌는 시간 보내고 나니 참 좋다"라고.

내 침대가 원래 이렇게 포근했나?

　우리 집은 달에 한 번씩은 제주도를 여행하는데 집이 제주도지만 다른 곳에서 자는 것을 애들이 좋아하기도 하고 갑갑하다 느껴지는 일상이 환기되기도 해서 내가 즉흥적으로 외박 일정을 잡고 통보 후 계획을 짜서 출발하는데 예상치 못하게 놀러 나갔다가 "오늘 우리 여행 갈거야" 하면 아이들은 엄청나게 신나 한다.

이번에는 여행 전에 서로 체력을 아끼기 위해서 여름이는 아빠와 남자들만의 데이트를 떠나고 나와 봄이는 재밌다는 고사리 축제장에 들러 보았는데 행사 측에서 무료로 인형 뽑기를 할 수 있게 해주니 줄이 상당했다. 기회는 1인당 3회! 한번 줄 서면 3~40분은 땡볕에서 서 있어야 했는데 세 번 줄 섰지만 뽑질 못했다. 실망하는 봄이를 위해 한 번 더 줄을 섰지만, 여름이 바지에 오줌이 새서 데이트를 마친 신랑이 우리를 데리러 오고 있다는 연락을 받고 아쉽게 발걸음을 돌리니 잔뜩 울상이 된 봄이에게

"봄이가 많이 아쉽구나. 내일 또 올 수 있으면 오자" 하며 달래주었지만

"내일도 오고 지금 가는 거 진짜 싫다고, 뽑고 싶었는데" 대꾸하며 슬퍼하는 봄이에게 최후의 카드를 꺼내 들었다.

"대신, 봄이가 가고 싶지 않은데 엄마 말을 들어 주었으니, 선물로 시나모롤 솜사탕 사줄게"

솜사탕을 받아 든 봄이를 보며

"이제 기분 좀 나아졌어? 내일 올 수 있으면 또 오자"라고 말하니 봄이가

"음... 근데 사실은 인형 뽑기도 좋긴 한데 여행 가는 게 더 좋아! 인

형은 집에도 많으니까 괜찮아!" 답하는 봄

알고 보면 내가 봄이를 손바닥 위에 올려놓은 것 같지만, 사실은 봄이가 내 머리 꼭대기에 올라가 있단 걸 다시금 깨달았다. 에잇.

그러고는 말해준다.

"맞아 우리 가족끼리 여행하는 게 제일 재밌지. 근데 뭐니 뭐니 해도 집이 최고지"라고.

(지금 시각 pm. 7:18. 육퇴 완료. 취침에 들어간 봄이가 잠들기 전 하는 말 "내 침대가 원래 이렇게 포근했나?")

악덕 사진작가

주말에 늘 비가 오다 오래간만에 날이 좋아 아이들과 꽃구경 갔다.

아이들과 가기 좋은 카페들을 검색하다 가보고 싶어 저장해 둔 곳에 방문하였다. 기대 이상으로 예뻤고 아이들도 즐거워했다. 즐거움도 잠시,

"얘들아, 빨리 와! 여기에 서봐! 여기 좀 보라고! 웃어! 웃어! 벌 괜찮아! 안 물어 웃으라고!" 하며 악덕 사진작가로 돌변하였다.

잠깐 쉬며 주문한 음료와 빵을 먹는데 이제 너무 피곤하다며 집에 가자는 여름이에 말에 또 자책한다. 아이들과 여유 있게 놀러 온 곳인데 왜 또 내 기준에 맞추어 아이들을 자유롭게 놀아주지 못하였나?

사람들이 몰려 포토존 자리를 바르게 선정하지 못할까? 하는 조급함에서였다. 정말 아무짝에도 쓸모없는 조급함…. 에잇.

그러고는 말해준다.

"꽃구경 왔는데 엄마가 너무 사진만 찍어서 미안해. 재밌게 놀다 가자"라고.

자연스러운 아이들과 그렇지 못한 엄마

아이들을 자연으로 데리고 나가면 자유롭게 풀어주고 싶고 자유롭

게 놀았으면 하는 마음이 있는데, 그런 마음과 반대로 입은 말하고 있다.

"벌레 좀 만지지 마! 거기 물 고여있잖아! 밟지 말라고! 풀숲 좀 들어가지 마! 진드기 있다고!"라고

벌레 만지고 고인 물에 발장구하고 풀숲 뛰놀자고 데려가 놓고 왜 자꾸 행동을 제지하는 거야… . 에잇.

그러고는 말해준다.

"얘들아, 오늘은 엄마가 여벌 옷을 준비하지 못했어. 그러니까 옷이 너무 더러워지면 더 놀고 싶어도 놀 수가 없으니 조금은 조심 해줘"라고.

과일 셔틀

　마트 다섯 곳을 돌아서야 봄이랑 여름이가 원하는 수박을 살 수 있었다. 마트 가면 있겠지, 과일가게 가면 있겠지, 했는데 막상 찾으니 없어서 못 사는 건가 하다 마지막으로 들린 마트에서 수박을 샀는데 수박과 함께 봄여름이가 좋아하는 망고도 여러 개 카트에 담아 집에 모셔 왔다. 저녁을 먹고 과일들을 손질해 주는데 문득 나는 망고를 대학생이 되어 스킨스쿠버 투어를 위해 간 필리핀에서 처음 먹어보았었는데 '우리 집 아이들은 일찍이도 망고 맛에 눈을 떴네' 하는 생각이 들었다.

어릴 적 형편이 좋지 않아 배를 곯았던 기억에 내 자식들만큼은 먹고 싶은 것 남들 가지고 있는 것들은 주눅 들지 않게끔은 누리게 해줘야지 하며 살아가고 있는데 사악한 가격에 수박도 척 사다 주고 망고가 집에 늘 있게 사다 놓아주고 매일 혼내긴 해도 아이들이 좋아하고 부탁하는 음식들은 부족하지 않게 채워주려는 자세에 그래도 그런대로 나름 괜찮은 부모이지 않나 하는 생각을 했다.

하원을 하여 냉장고를 열어보던 여름이가 "우와! 냉장고에 슈박이 있네!? 엄마! 진짜 냉장고에 슈박이 있어!" 하며 손뼉 치며 좋아하는 모습에 어떻게든 사 오길 잘했다는 생각이 들었다. 저녁을 먹자마자 포크를 들고 수박 먹을 대기를 하던 여름이가 주방 한 편에 조용히 앉아 수박을 손질해서 통에 담고 있는 나를 보며

"엄마, 수박 잘라줘서 고마워요. 기분이 진짜 좋아"라고 말해주는데 육아에 힘듦을 이런 순간순간에 감동으로 보답받고 있음을 느꼈다.

둘째는 둘째인가 보다 애교쟁이 여름이.

첫째 봄이는 저 멀리 식탁에 앉아 학습기를 하며 "아, 언제 돼? 엄마 내가 망고부터 해달라고 했잖아."라고 투덜거리기 바쁘다.

얄미워서 한마디 했다.

"망고는 후다닥 손질되는데 수박은 껍질 손질해서 통에도 담아야 하고 손질된 껍질도 정리해야 하는데 손 많이 가는 것부터 해야 엄마도 쉴 거 아니야! 순서 좀 바뀌면 어때, 어차피 둘 다 같이 먹는데!"라고.

'우리 봄이가 망고가 빨리 먹고 싶었구나. 엄마가 스피드 내볼게' 하며 다독여도 될걸. 꼭 애를 이겨 먹으려고 한다. 에잇.

그러고는 말해준다.

"수박 못 사 올까 봐 오늘 마트를 다섯 군데나 다녀왔는데 봄이랑 여름이가 좋아해 주니까 다녀온 보람이 있네. 맛있게 먹어줘서 고마워"라고.

프로잔소리꾼

저녁을 다 먹은 봄이가 아이스크림을 먹어도 되냐고 물어보기에 장

난기 발동한 내가 말했다.

"봄이가 설거지 해준다면 먹는 걸 허락해 주지"라고.

흔쾌히 OK 하며 신나서 설거지하는 봄이를 보며 너무 귀엽고 기특하면서도 하는 말은

"옷에 물 튀지 않게 해 옷 젖잖아. 팔 걷어야지. 거품을 더 내야 해. 그릇 안 깨지게 조심해"

좀 다정하게 얘기해 주고 설거지하는 자체만 칭찬해 주면 될걸 뭘 이렇게 쓸데없는 참견을 시어머니 잔소리처럼 하는지…. 에잇.

그러고는 말해준다.

"봄이 오늘 보니 설거지 엄청 꼼꼼하게 잘하더라? 엄마는 봄이 나이때 설거지 잘, 못했어! 쉽지 않았을 텐데 대단해"라고.

우리 아가 속상했지?

봄이와 여름이를 데리고 수눌음 돌봄 사업에서 지원을 받아 공동육
아를 하는데 다른 아이들과 있을 때 서로 의견이 맞지 않아 다툴 때면
봄이나 여름이가 속상했다는 것을 알면서도 속상한 것을 먼저 얘기해
주지 않고 왜 소리를 질렀는지 그런 방식으로 화를 내면 안 된다는 표
현이 먼저 나와버린다. 다른 이들의 시선이 신경 쓰여 상처받은 아이의

마음을 우선 외면하고 상황에 대한 문제 제기만 하는 나를 볼 때마다 '그러지 말자' 다짐하면서도 말한다.

"엄마가 화가 났을 때나 속상한 일이 생겼을 때 그렇게 울고 소리 지르면 상대방은 모른다고 얘기했지! 지금 너의 표현이 맞는다고 생각해?"라고.

우선 '속상했지? 무엇이 우리 아가의 속을 상하게 했을까? 얘기해 줄 수 있어? 많이 속상해서 소리 질렀구나. 이리 와, 안아줄게'라고 먼저 말해줄걸···. 에잇.

그러고는 말해준다.

"아까는 우리 아가가 너무 속상했지? 속상한 거 알았는데 엄마는 그렇다고 소리 지르고 하는 건 아니란 걸 알려줘야 해서 속상한 마음 먼저 얘기하지 않고 고쳤으면 하는 모습에 대해서만 얘기한 거 미안해. 많이 속상했을 텐데 엄마도 먼저 안아주고 마음 알고 있다고 표현할 수 있게 노력 할게. 우리 아가도 속상한 마음을 소리 지르지 않고 차분하게 얘기해 보는 것도 연습해 보자"라고.

수제 젤리곰이 잘못했네 했어

수제 젤리 곰을 파는 카페에 아이들과 나를 신랑이 데려가 주었다.

메뉴들을 보다 보니 수제 젤리 곰 케이크라는 메뉴가 보였고 가격에 비해 퀄리티는 그렇지 못한 샘플을 보곤 그다지 결제하고 싶은 마음도 없었고 젤리에 재질을 보니 봄이나 여름이가 먹을 것 같지 않은 질감이었다. 그래서 사달라는 봄이에게 좀 더 고민해 본다고 말하곤 안 사줄 생각이었으나 계속 아쉬워하는 봄이를 보며 말했다.

"엄마는 너를 알잖아. 저 젤리 정말 네가 안 좋아하는 식감 같아 엄마가 사줘도 넌 한입 맛보고는 안 먹을 걸 알아서 그래. 이따 다른 젤리 사줄게"라고 봄이가 답했다.

"아니야 내가 좋아하게 생겼어. 제발 제발 한 번만 사 줘"

이 답을 듣고 그냥 알았어, 사줄게 하면 될걸.

"알았어. 근데 입맛에 안 맞아도 남기면 절대 안 돼! 다 먹어야 해"라는 말을 꼭 하고 예상에 맞게 한입 먹고 주저하는 봄이에게 보란 듯이 비아냥거리며 말한다.

"거봐, 엄마가 너 싫어하는 식감이라고 말했잖아! 다 먹겠다고 했으니 다 먹어. 그거 다 먹을 때까지 안 나갈 거야"라고.

그까짓 젤리 남기면 그만이지 싶다가도 자신이 뱉은 말에 책임은 지는 아이로 컸으면 하는 바람에 괜한 말까지 더해버리는 나란 엄마⋯. 에잇.

그러고는 말해준다.

"이것도 경험이야. 먹기 싫은 걸 선택한 것도 너의 선택이니 남기지 않고 먹어보는 것도 연습이 필요해. 그렇지만 좋아하지 않을 걸 알지만 시도해 보는 것도 경험인데, 엄마가 억지로라도 먹으라고 옆에서 재촉한 건 엄마가 잘못한 것 같아. 시도해 본 거 용기 있는 거였어. 하지만 다음에는 오늘 경험을 통해서 조금 더 신중한 선택을 하는 것도 좋을 것 같아"라고.

봄아, 친하게 지내자.

요즘 들어 봄이와 부딪히는 일이 잦아졌다.

내가 봄이를 기다려 주지 못해서 다그치거나 봄이의 날카로운 말투에 너그럽지 못한 반응으로 나온 결과이다.

"봄아, 서둘러줄래? 지금 준비하지 않으면 늦을 것 같아서 그래. 엄마는 아침부터 화내고 싶지 않아. 더 늦기 전에 준비해 줘"라는 말에 봄이가 대답했다.

"아, 알았다고! 준비하고 있잖아!"라고

사실 말투야 어떻든 봄이는 OK라고 했다. 그저 예의 없는 아이로 남들이 바라볼까 하는 조바심에 봄이가 감정을 가라앉히고 내 얘기를 들을 준비가 되기도 전에 엄마 기분 상했으니 당장 들으라는 톤으로 얘기한다.

"지금 내 학교 갈 준비하는 거니!? 늦어도 네가 늦는 건데 엄마가 서두르라고 하기 전에 네가 준비해야 하는 거야! 이제 늦든 말든 신경 끄고 늦을까 봐 데려다주지도 않을 거야! 옆에서 엄마가 챙겨주는 것이 얼마나 감사한 일인지 모르니까 지금 네 말투가 그런 거지!?"라고

사실 늦을까 봐 걱정되는 것도 내 걱정이고 빨리 준비하길 바라는 것도 내 바람인데 닦달하다 안되니 아이의 말투가 급발진 신호에 불을 붙였다.

"엄마에게 말투 좀 부드럽게 해줘" 한마디면 될 걸 왜 또 오버를 했

을까…. 에잇.

그러고는 말해준다.

"엄마가 이제 봄이에게 늦든 말든 신경도 끄고 데려다주지 않겠다 한 말은 순간적으로 화가 나서 한 말이지 진심이 아니었어. 그런 말들을 하며 봄이의 마음을 건드린 건 엄마 잘못이야. 미안해. 엄마는 화가 나도 봄이가 엄마에게 화를 내도 봄이를 사랑하는 건 변하지 않아. 기분 풀고 학교에 가서 즐겁게 보내다 다시 만나자"라고.

가을이의 존재감

　붕어싸만코가 먹고 싶어서 저녁 마실을 나갔다. 평소에는 생각도 안 나는 붕어싸만코가 난 임신만 하면 생각이 난다.

　그렇다. 우리 집에 꼬물이가 하나 더 생길 예정이다. 셋째는 없을 것만 같았는데 왜인지 우리 집 강아지 이름은 겨울이었다. 가을이가 생길 거란 걸 염두에 둔 것일까 그냥 겨울이는 처음부터 겨울이었다. 붕어싸만코를 핑계로 저녁 산책하러 나갔다. 아직은 저녁 바람이 꽤 쌀쌀한데 얇게 입고 나간 봄이가 춥다는 말에 나도 춥지만 당연하다는 듯이 나의 겉옷을 벗어주곤 반소매로 산책을 하였다. 이럴 때 보면 '나는 꽤 봄이를 사랑하는 것 같은데 요새 왜 이렇게 부딪히는 걸까?'하고 생각해 보니 이제 자아가 더 커지는 봄이에게 내가 너무 하지 말라고만 해대서 분위기가 냉전인 것 같은데 자꾸 봄이 행동에 제동을 걸고 만다. 알면서도 고치기 힘들고 고치고 싶으면서도 쉽지 않다. 부모가 되는 길은….

오늘도 좀 더 바른길을 가고자 하루를 돌아보고 글을 쓴다.

오늘 붕어싸만코 맛있었다.

꼬막맹 여름이의 기저귀 탈출기

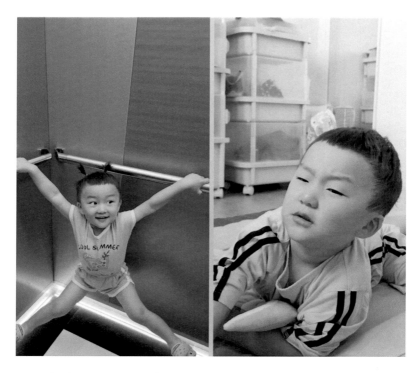

꼬마 맹수 같은 우리 여름이가 변기에 응가를 처음으로 성공한 날

2024.05.09

한참을 안절부절 서성이며 망설이는 모습에

"응가가 변기에서 수영하고 싶어서 똥꼬가 움찔움찔 하나 봐" 말해

주니

그제야 용기 내 변기에 앉아 힘을 주고 성공한 여름.

기특한 둘찌.

여름이의 밥태기

여름이는 2주 정도 엄청나게 잘 먹고 2주 정도는 또 잘 안 먹는 패턴

을 보이고 있는데 안 먹는 시기가 오면 조금이라도 더 먹이려 텀을 두고 조금씩 고기나 과일을 주고 밥시간에는 주어진 음식은 비우도록 얘기해 준다. 입에 가득 물고 씹지 않고 있는 걸 보면 입맛이 정말 없나 보구나, 애도 사람인데 배고프면 알아서 먹겠지? 하면서도 하루 권장 영양소를 못 채워서 여름이의 면역력이 떨어질까 하는 걱정을 앞세우며 말한다.

"여름이 이거 다 안 먹으면 이제 간식은 없는 거야!"라고.

밥 하루 이틀 굶는다고 세상이 변하고 지구가 멸망하는 것도 아닌데, 왜 또 애한테 협박하고 그러는 거야⋯. 에잇.

그러고는 말해준다.

"여름이 입맛이 너무 없어? 지금 입에 있는 것만 다 삼켜보자? 배는 배가 너무 고프다고 말하고 있어 알았지? 내일은 좀 더 먹어보자"라고.

소소한 일상

　집 밖으로 돌기보단 아이와 나를 먼저 생각해 주는 신랑 덕에 저녁에는 늘 우리 가족이 모여 저녁도 먹고 산책하거나 놀이하는데, 당연하다 느껴지는 일상들이 결코 당연한 것이 아닌, 감사함이라는 것을 요즘들어 부쩍 느끼고 있다.

아이들이 아프지 않고 잘 커 주고 있어 웃으며 저녁 시간을 보낼 수 있는 것.

가족들이 조금이라도 편하게 지낼 수 있도록 경제적으로 부족함이 없도록 열심히 일해주는 것.

내 곁에 있는 사람들은 어쩜 아이들까지도 나의 행복이 이어 나갈 수 있도록 돕는다.

아이들이 있어 가끔 힘겨울 때도 있지만 힘겹다 느끼는 것도 사치라는 생각이 든다. 아이들이 있어 시끌벅적한 것도 집이 어질러지는 것도 다 아이가 건강하다는 증거인데 그걸 부정하려 드니 힘겹다 느끼는 것은 아닐까 하며 다시 책을 써 내려가며 반성하게 되었다. 며칠 전 다녀온 1박 2일 여행을 마치고 봄이와 여름이랑 잠들기 전 대화에서 아이들의

"엄마, 여행 떠나주어서 고마워요. 숲도 보고 놀이터에서 논거 정말 재밌었어요." 말에

짐 싸고 짐 풀고 했던 노곤함이 싹 사라져 버렸다. 여행 내내 여름이는 놀다가 뛰어와서 나를 안아주며

"엄마, 기분이 좋아!"라는 말을 달고 살았다.

아주 가끔은 솔직히 주변 미혼인 친구들의 일상을 SNS에서 보며 부

럽기도 했다. 감성 있는 인테리어 실내장식, 마음만 먹으면 떠날 수 있는 해외여행 등등 나도 결혼을 안 했다며 이렇게 지내겠지? 라는 생각을 하다 이내 고쳐먹는다.

결혼하고 나보다 더 사랑하는 신랑과 눈에 넣어도 아프지 않을 아이들이 내 곁에 있어 주어 나의 삶은 평안할 수 있다고….

뿌리깊은 나무

육아 에세이를 써 내려가며 오늘 하루를 되돌아보기도 하고 반성하

고 나 자신을 칭찬하기도 했다. 처음에는 일기 같기도 하고 나의 마음을 적나라하게 드러내는 것이 낯설기도 부끄럽기도 하였다. 그러나 나는 직면하여 고민을 해결해 보고 방법을 갈구해 보자 용기를 내었다.

1편 〈 함께라서 행복해 〉를 저술할 땐 처음 부모가 되었을 때 느꼈던 감정과 고민이 담겨있고, 2편 〈 함께라서 좋아 〉를 저술할 땐 외동에서 남매의 부모가 되어 첫째 아이와의 고충 그리고 둘째를 바라보는 시선이 담겨있었는데 1편, 2편을 작성할 때만 하여도 나는 아이들이 바람에 흩날리는 나무라고 바라보았다. 3편을 작성하고 나서야 비로소 깨달았다.

바람에 세차게 흔들리며 더 깊게 뿌리를 내려가는 나무는 나라는 것을···.

곧게 뻗은 가지에 나의 아이들인 열매를 어여쁘게 맺어주고 바람에 떨어지지 않도록 잡아주고 나의 그늘에 가려지지 않도록 바람을 타고 멀리 비행할 수 있게 버팀목이 되어주는 나무가 되어 어제보다 오늘, 그리고 내일 곧은 부모로 자라나는 것을 기대하며 이제는 봄, 여름 네 가족에서 봄, 여름, 가을이를 만나 다섯 가족이 될 앞날에 설레어 하며 3편 〈 '내게 봄이 왔나 봄' 함께라서 고마워 〉를 마무리해 보려 한다.

3편을 작성하며 한 뼘 더 성장해 준 민영이에게 박수를 보내고 싶다.

짝짝짝.

내게 봄이 왔나봄 함께라서 고마워!

발 행 | 2024년 07월 26일
저 자 | 송민영
사 진 | 송민영
표지일러스트 | 송민영, 김봄
디자인 | 오은정
인권표현검수 | 이지민
바른우리말검수 | 이지민
후원 | 제주특별자치도, 제주문화예술재단
주관 | 서귀포 오아시스
미디어에디터 | 최인서
작품편집, 에이전트 | 박산솔, 이정숙, 이선경
펴낸이 | 한건희
펴낸곳 | 주식회사 부크크
출판사등록 | 2014.07.15.(제2014-16호)
주 소 | 서울 금천구 가산디지털1로 119, SK트윈타워 A동 305호
전 화 | 1670 - 8316
이메일 | info@bookk.co.kr

ISBN | 979-11-410-9745-5

www.bookk.co.kr

2024 엄마의 활주로 '함께육아에세이'의 취지에 맞게 작가의 감정 표현과
아이의 언어 표현을 지키는 방향으로 교정 교열 하였습니다.

본 책은 강원교육모두체, 학교안심(확장)바른돋움체, 상상토끼꽃길체가 사용되었습니다.

본 책은 제주특별자치도와 제주문화예술재단의 후원을 받아 제작되었습니다.

Jeju   JFAC 제주문화예술재단